Éric Veillé

L'encyclopédie des mamies

Actes Sud junior

Éditrice : Isabelle Péhourticq assistée de Fanny Gauvin
Directeur de création : Kamy Pakdel
Conception graphique : Éric Veillé
© Actes Sud, 2018
ISBN 9782330081904
Loi 49-956 du 16 juillet 1949 sur les publications destinées à la jeunesse.
Reproduit et achevé d'imprimer en avril 2018 par l'imprimerie Grafiche AZ (Italie)
pour le compte des éditions ACTES SUD, Le Méjan, Place Nina-Berberova, 13200 Arles
Dépôt légal 1ᵉʳ édition : mars 2018

Les mamies

Il existe tellement de mamies...

Les jeunes
mamies...

... les mamies
en combinaison de ski...

... les mamies
d'Australie.

Les mamies
des marais salants...

... les mamies
des villes...

... les mamies
des champs.

Les mamies
équatoriales...

... les mamies
des mers du Sud.

L'âge

On peut sérieusement s'interroger :
mais quel âge ont les mamies ?

Certaines mamies
ont 58 ans...

... d'autres,
69 ans...

... d'autres
même, 87 ans.

EH OUI.

L'intérieur

Connaissez-vous la petite maison dans la mamie ?

À l'intérieur de chaque mamie, il y a une petite maison, et dans la petite maison il y a mamie quand elle était petite. C'est toujours là qu'elle habite.

Ah ouais.

Chouette !

Petits noms

Chaque mamie a son petit nom,
par exemple :

Mamie Pierrette

Mamie Molette

Mamie Moustache

Mamie La Plume

Mamie Naigrette

Mamie Mardi

Grand-Mère Tatane

Mamie Jean-Pierre

Mamie Crinière

Mamie Liliade

Mamie Francis Cabrel

Le temps

Les mamies sont les seules personnes
qui ont toujours le temps...

La sagesse

Les mamies savent beaucoup de choses !
Alors profitons-en pour leur poser
les questions importantes :

MAMIE,
APRÈS LA MORT
EST-CE QU'IL Y A
DES CHIPS ?

CERTAINEMENT.

Les dictons

Pour mieux comprendre les mamies,
rien de tel qu'un bon dicton :

J'aRRiVE, J'aRRiVE !

Les mamies
dans la salle de bain
ne sortiront
que demain.

Les mamies
derrière les volets
se demandent
s'il fait frais.

Si on leur dit bonjour,
ça les remplit
d'amour.

Les mamies
après la pluie
sont souvent
très jolies.

Les mamies
du supermarché
cherchent le rayon
surgelés.

Si les mamies
ont un sac à dos,
le père Noël
est de trop.

Si les mamies
sont en pyjama,
elles iront se coucher
avant moi.

Quand les mamies
sont au musée,
on ne peut pas
trop rigoler.

Les mamies
à la messe
n'ont pas froid
aux fesses.

QUanD LES MaMiES
ViVRONT D'aMOuR
iL n'Y aura PLuS
DE BRiOCHE !

La souplesse

Veuillez admirer ici la souplesse des mamies :

Grand écart.

Jambes arrière.

Poirier.

Salto croisé
avec un rideau
de douche.

Double saut
jambes serrées.

Ouh la ! Doucement,
quand même.

Retour base.

Prise d'élan.

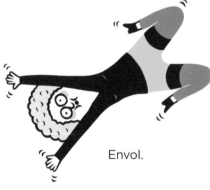

Envol.

Repos.

Les tricots

Est-ce que les mamies tricotent seulement des pulls ?

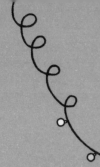

BiEn sûr QuE nOn, ELLES TRicOTEnT aussi...

Des guirlandes pour les écureuils.

Des cache-bosses pour les chameaux honteux.

Des pyjamas qui piquent pour les biquettes.

Des couvertures pour les amoureux.

Des chaussettes pour les sapins.

Des réchauffe-queue pour les chats frileux.

Des perruques pour les bonshommes de neige.

Et pour toi, un déguisement de rat !

ET Si ça TE PLaîT Pas, Tu DiS QuanD MÊME : MERCi MAMiE !

Cachettes

C'est incroyable le nombre de cachettes
qu'on trouve chez les mamies quand on y pense.

La salle d'attente

Quand on arrive dans une salle d'attente,
il y a souvent une mamie qui est déjà là.

Le moral des mamies

Parfois les mamies se sentent comme du gruyère râpé,
c'est signe qu'elles ne sont pas en super forme.

C'est très rare et très peu connu,
mais les mamies sont parfois tristes
ou de mauvaise humeur.

Pour lui remonter
le moral, tu peux :

Lui dessiner
une poule.

Lui faire
des couettes.

Lui éplucher
une clémentine.

Lui confier
un secret.

Lui jouer un morceau
de Rachmaninov.

L'emmener
en Laponie.

Lui offrir des perles
de pluie venues de pays
où il ne pleut pas.

Lui gratter
le bas du dos.

Lui apprendre
l'espagnol.

Mamie boréale

Pour apercevoir une mamie boréale,
il faut se lever tôt et avoir du pot.

Sous la couette des mamies

On se glisse très rarement
sous la couette des mamies.
Pourtant si l'on fouille bien,
on y trouve :

Des regrets...

... des soupirs...

Deux, trois
samedis matin...

... des odeurs
de chou-fleur.

... et un vieux
maillot de bain.

Sous la
couette
des mamies,
on trouve
parfois papi.

Une grenouille
du passé...

FAUDRA
PEUT-ÊTRE VOIR
À RANGER
TOUT ÇA !

... et un aéroport.

Les cheveux

La plupart des mamies font ce qu'elles veulent
avec leurs cheveux. Et elles ont bien raison.

Pas mal

Très bien

Super

Plutôt sympa

Dégagé

Chatoyant

Pourquoi pas

Un peu court

Génial

Mamies des forêts

Contrairement aux autres êtres humains, les mamies raffolent des balades en forêt.

Les cars

Pourquoi les mamies
prennent-elles souvent des cars ?

BONNE QUESTION.

C'est vrai que l'on peut fréquemment
apercevoir les mamies derrière
la vitre d'un car.

Mais personne ne sait
où elles vont...

228-PKQ-2

Tout ce qu'on sait,
c'est qu'elles préfèrent
la place près du chauffeur
car elles ont plus de place
pour leurs jambes.

FAUDRA
VOIR à PAS
TROP S'ÉTALER
NON PLUS.

Les chats

Certaines mamies comprennent le langage des chats...
et d'autres n'y comprennent rien.

Les cartes postales

Écrire une carte aux mamies d'été,
c'est très bon pour la santé.

« Chère mamie,
Je pense à toi
quand le temps
le permet.
Bisous. »
Mimi.

« Mamie,
J'ai eu plein
de sable dans
les yeux et mon
frère a redoublé.
Je t'embrasse. »
Louison.

« Ma petite mamie,
J'ai fait caca
en Allemagne
mais je ne vois pas
trop la différence.
Par contre,
je n'ai plus
mon plâtre. »
Yasmina.

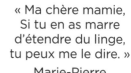

« Ma chère mamie,
Si tu en as marre
d'étendre du linge,
tu peux me le dire. »
Marie-Pierre
Planchon.

Les voyages des mamies

Quand elles s'ennuient, certaines mamies
partent faire le tour du monde en chaussons.

Le Burkina Faso
en chaussons.

La Guinée-Bissau
en chaussons.

La Cordillère
des Andes en chaussons.

La Martinique
en chaussons…

… et même le Machu Picchu
en chaussons !

Pour leur goûter,
elles mangent un chausson
aux pommes.

Pour se relaxer,
elles écoutent des chaussons
de Michel Delpech…

… et quand les papis
les accompagnent,
ils portent des pagnes.

Lexique

Voici les mots à connaître
pour mieux appréhender les mamies.

Gendarmes
Ce sont des insectes
que l'on peut embêter
quand on s'ennuie
chez mamie.

Bretagne
C'est un endroit où vont
beaucoup de mamies.
Elles disent par exemple :
"La semaine du 15 août,
je serai en Bretagne."

Cheveux en arrière
Quand les mamies
ont les cheveux en arrière,
c'est signe de tempête.
Mieux vaut rester
sous le préau.

Cartes bleues
Les mamies ont des cartes
bleues. Ce qui leur permet
de s'acheter des endives
ou de nous acheter
des ballons.

Crème de nuit
Les mamies raffolent
de la crème de nuit.
Elles s'en mettent après
le journal de 20 heures.
Si tout se passe bien,
au petit matin, elles sont
resplendissantes.

Bateau
C'est une chose étonnante,
mais certaines mamies
ne savent même pas
dessiner un bateau.

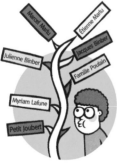

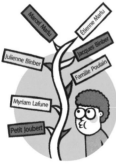

Arbres généalogiques
Ce sont des arbres
dans lesquels il y a plein
de gens que l'on
ne connaît pas.

Oncle
Pendant les mariages,
les mamies dansent
parfois avec
des oncles.

Oubli
Il arrive que
les mamies oublient
de prendre du PQ.
Ce n'est pas non plus
un drame.

Bibliographie

Il existe un certain nombre de livres sur les mamies
qui ne sont pas mal du tout :